# Veuf

# DU MÊME AUTEUR

Grammaire française et impertinente, *Payot, 1992*
Arithmétique appliquée et impertinente, *Payot, 1993*
Peinture à l'huile et au vinaigre, *Payot, 1994*
Le pense-bêtes de saint François d'Assise, *Payot, 1994*
Le C.V. de Dieu, *Seuil, 1995 ; nouvelle édition, Stock, 2008*
Le pain des Français, *Seuil, 1996*
Sciences naturelles et impertinentes, *Payot, 1996*
Je vais t'apprendre la politesse, p'tit con, *Payot, 1996*
Il a jamais tué personne, mon papa, *Stock, 1999*
La Noiraude, *Stock, 1999*
Roulez jeunesse !, *Payot, 2000*
Encore la Noiraude, *Stock, 2000*
J'irai pas en enfer, *Stock, 2001*
Pas folle la Noiraude, *Stock, 2001*
Mouchons nos morveux, *Lattès, 2002*
Le petit Meaulnes, *Stock, 2003*
Antivol, l'oiseau qui a le vertige, *Stock, 2003*
Les mots des riches, les mots des pauvres, *Anne Carrière, 2004*
Satané Dieu !, *Stock, 2005*
Mon dernier cheveu noir, *Anne Carrière, 2006*
Organismes gentiment modifiés, *Payot, 2006*
À ma dernière cigarette, *Hoëbeke, 2007*
Histoires pour distraire ma psy, *Anne Carrière, 2007*
Où on va, papa ?, *Stock, 2008*
Poète et paysan, *Stock, 2010*

Jean-Louis Fournier

# Veuf

Stock

Ouvrage publié sous la direction de
Véronique de Bure

Couverture Hubert Michel
Photo de bande : © Collection personnelle de l'auteur

ISBN 978-2-234-07089-9

« Il est poli d'être gai. »

Voltaire

Je suis veuf, Sylvie est morte le 12 novembre.
C'est bien triste.

Cette année, on n'ira pas faire les soldes ensemble.

Sylvie est partie discrètement sur la pointe des pieds, en faisant un entrechat et le bruit que fait le bonheur en partant.

Elle ne voulait pas déranger, elle m'a dérangé au-delà de tout.

Cette année, l'hiver a commencé plus tôt, le 12 novembre. Je crois qu'il va durer très longtemps et être particulièrement rigoureux.

Sylvie m'a quitté, mais pas pour un autre. Elle est tombée délicatement avec les feuilles. On discutait de la couleur du bec d'un oiseau qui traversait la rivière. On n'était pas d'accord, je lui ai dit tu ne peux pas le voir, tu n'as pas tes lunettes, elle ne voulait pas les mettre par coquetterie, elle m'a répondu, je vois très bien de loin, et elle s'est tue, définitivement. Les pompiers sont arrivés, ils n'ont pas réussi à ranimer le feu, elle s'était éteinte.

Elle n'aimait pas parler d'elle, encore moins qu'on en dise du bien. Je vais en profiter, maintenant qu'elle est partie.

J'ai eu beaucoup de chance de la rencontrer, elle m'a porté à bout de bras, toujours avec le sourire.

Elle avait la finesse et la résistance de la porcelaine. Elle était courageuse, elle m'a supporté quarante ans, moi que je ne souhaite à personne.

On était complémentaires, j'avais les défauts, elle avait les qualités. C'était la rencontre entre une optimiste et un pessimiste, une altruiste et un égoïste.

Je lui avais dit un jour que l'altruisme était une maladie mentale, je l'avais lu. Elle s'étonnait que je commence mes phrases par Je, j'ai été obligé de lui dire que grammaticalement j'étais la première personne, donc je devais mettre le pronom personnel à la première personne. Spontanément je pensais à moi, spontanément elle pensait aux autres.

Je me souviens de l'histoire des brosses, c'est une vieille histoire. C'était le cadeau d'un industriel après un reportage de télévision que j'avais fait sur sa fabrique. Il m'avait offert un assortiment de brosses, de toutes sortes, de toutes tailles.

Le soir nous avions des amis au dîner. À la fin du repas, elle a présenté la boîte de brosses et l'a fait circuler, comme un plat, en proposant aux invités de se servir, d'en choisir une. Ils ont évidemment choisi les plus belles. Moi, je voyais partir mes brosses, sans rien dire mais en la fusillant du regard. Il y en avait de très jolies avec des manches en bois exotique et des poils très doux en soie. Je n'avais pas envie de les donner, c'était à moi, c'étaient mes brosses.

Moi, le rustique, elle m'a affiné comme un fromage, raffiné comme du sucre. La preuve, je suis tout blanc. Elle avait du goût pour deux, elle connaissait les styles des meubles. À force de traîner derrière elle dans les brocantes, je les connais aussi et j'ai pris goût aux vieilles choses.

Elle qui reconnaissait les beaux meubles, pourquoi m'avait-elle choisi ? Moi, un meuble ordinaire, sans style particulier, un meuble rustique du XXᵉ, bancal, qui ne tient pas droit tout seul, j'ai une jambe un peu plus courte que l'autre. Elle a été ma cale, elle m'a empêché de tomber, je me suis tenu droit à ses côtés. Elle m'a décapé, elle m'a poli, elle m'a fait briller.

En échange, je l'ai fait rire. Pleurer, aussi.

Je suis dans un petit voilier au cap Horn. La mer est blanche, le ciel est noir, j'ai affalé les voiles, je suis accroupi au fond de la cabine, la tête cachée dans mes bras. J'attends que ça se calme. Je suis optimiste, je crois que ça va se calmer. Les tempêtes ne sont pas comme les neiges, éternelles.

La vendeuse de la boulangerie à qui j'ai appris la nouvelle a glissé un petit paquet de macarons à côté de mon pain. Une voisine a déposé devant la porte de ma maison un gâteau qu'elle a fait elle-même. Il était très bon et m'a rappelé que, sur terre, il y a aussi des bonnes choses.

Un voisin m'a proposé d'aller m'acheter des ampoules à baïonnette qui deviennent difficiles à trouver.

Depuis que la rayonnante Sylvie s'est éteinte, il fait sombre dans la maison, je vis dans la pénombre. J'ai eu beau changer les ampoules, j'ai eu beau en mettre des plus puissantes avec plein de watts, il fait toujours sombre.

Si je dis que je vais bien, ce n'est pas vrai ; si je dis que je vais mal, ce n'est pas vrai non plus. Je vais.

J'ai toujours pensé égoïstement que j'aurais la chance de mourir le premier. Sylvie pourrait en profiter, faire les voyages que je n'ai jamais voulu faire. Aller en Namibie caresser les tigres. Elle rencontrerait un beau veuf tout frais, très gentil, qui lui dirait tous les jours qu'elle est la plus belle, même quand ce ne serait plus vrai.

Aujourd'hui, en regardant ses photos, je m'aperçois qu'elle était aussi belle que la femme des autres.

Quand j'essaie de me consoler, que je me dis qu'elle a eu une mort douce, il y a toujours un crétin qui sait tout et qui déclare qu'on n'est pas sûr, on ne sait jamais ce qui se passe dans le cerveau de quelqu'un d'inconscient... Histoire de me dire « Ne te rassure pas trop vite ».

Il y a ceux qui me disent « C'est vraiment trop jeune, quel drame... ». Quelle obligeance de leur part, ils doivent penser que je ne le sais pas.

Il y a celui qui vient me consoler. Pour faire couleur locale, il a mis sa tête d'enterrement. Il pose sur mon épaule une grosse main molle, tiède et humide comme une escalope, et il me dit « Mon pauvre vieux ». J'ai envie de lui répondre que je ne suis pas son pauvre ni son vieux. Il trouve les phrases qui revigorent : « Qu'est-ce que tu vas devenir tout seul ? Actuellement tu es pris par les démarches, tu as beaucoup de monde autour de toi, tu n'as pas le temps de penser à ton malheur, mais après, tu vas voir, c'est là que va être le plus dur. » Pour un peu, il ajouterait, parce qu'il le pense, « Je n'aimerais pas être à ta place... ».

Il y a ceux qui éclatent en sanglots. Vous vous trouvez tout bête, gêné de ne pas pleurer aussi. Vous avez envie de les consoler, leur dire « Courage, tu verras, avec le temps, ça va s'arranger ».

Il y a aussi celui à qui j'annonce la nouvelle, qui met la main à son cœur avec un rictus de douleur. Vous êtes ému, il prend à cœur votre malheur. Vous voilà vite rassuré, en regardant sa femme il s'écrie : « Mais ça peut nous arriver ! On fait du vélo, en plus on part la semaine prochaine faire du ski, il faut absolument qu'on aille voir le médecin avant ! » Et il vous quitte accablé, la main sur le cœur. Celui-là vous lui avez gâché sa journée, il va passer son temps à compter ses pulsations. Bien fait pour lui.

Cette année, très peu m'ont souhaité bonne année ou bon Noël.

C'est étrange, les gens n'osent pas parler de bonheur à celui qui vient d'avoir un grand malheur.

Je ne comprends pas. C'est justement quand on a eu un grand malheur qu'on a besoin de vœux de bonheur, ceux qui sont déjà heureux n'en ont pas besoin. Quand vous êtes malheureux, on dirait que la société souhaite que vous le restiez. Définitivement.

Pour m'aider, on m'a offert un petit livre. La couverture est bleu myosotis, avec un dessin à la Peynet, un arbre et des oiseaux. Il s'intitule *Sortir du deuil*, en sous-titre : *Surmonter son chagrin et réapprendre à vivre*. Il est écrit par Anne Ancelin Schützenberger, elle est « psychothérapeute, groupe-analyste et psychodramatiste de renommée internationale ».

Dans les premières pages, il y a un tableau, un « guide d'évaluation du stress d'événement de vie ». Je m'aperçois que la mort du conjoint donne le plus de points, 100 points. Je suis fier, j'ai la meilleure note, suivi par le divorcé, 73 points, et celui qui va en prison, 63 points. À la dernière place avec 11 points, celui qui a une contravention.

Je pense à celui qui a eu dix contraventions, ça lui fait 110 points, donc il est plus malheureux que s'il avait perdu sa femme.

On peut avoir en même temps plusieurs malheurs, par exemple une contravention et la perte de son conjoint. On additionne les points. « Un total de 200 est un signal d'alarme. 49 % des personnes qui totalisent 300 points ont une maladie dans l'année, ou un accident. »

Le texte a parfois des envolées surprenantes et poétiques : *Toute mort ou perte de son conjoint, d'un enfant, d'un frère ou d'une sœur, d'un sein, d'un bras, d'une jambe, d'un rein, une fausse couche et même la perte d'un chat ou d'un chien* (on ne parle pas de trousseau de clés) *est une situation irréparable dont nous sommes inconsolables, parfois pour toujours. (…) La personne se retrouve en période de fragilité, ouverte à la maladie, aux accidents, à toutes les infections, voire à la mort, comme le montrent de nombreuses études portant sur la mort fréquente du veuf dans l'année qui suit la perte du conjoint.*

En calculant bien, il doit me rester, dans le meilleur des cas, neuf mois à vivre.

Si j'ai un petit coup de blues pendant cette période, le livre me donne un bon conseil.

*Respirez lentement et dites comme une prière,*
*en récitant d'une voix monocorde :*

Tous les jours, et à tout point de vue, je vais mieux, de mieux en mieux.
Tous les jours, et à tout point de vue, je vais mieux, de mieux en mieux.
Tous les jours, et à tout point de vue, je vais mieux, de mieux en mieux.
Tous les jours, et à tout point de vue, je vais mieux, de mieux en mieux...

J'ai retrouvé ton stylo en argent, je crois que c'est un cadeau que je t'avais offert il y a très longtemps, l'argent a eu le temps de noircir. Tu t'en es servie pour m'écrire des mots doux, c'était à la suite du passage qui t'était consacré dans mon livre *Où on va, papa ?* J'avais écrit : « Et puis un jour, il était une fois une fille charmante, cultivée, avec le sens de l'humour. Elle s'est intéressée à moi et à mes deux petits mioches. On a eu beaucoup de chance, elle est restée. » Tu m'avais répondu avec le stylo d'argent : « La fille charmante restera longtemps, longtemps encore [tu n'as pas tenu ta parole] parce qu'elle a beaucoup de chance d'avoir intéressé un homme si délicat, délicieux et aimant, que son prince charmant. » C'était un stylo qui ne devait écrire que des mots doux, des gentillesses.

Tu lui aurais demandé d'écrire « arrogant », « énervant », « capricieux », « autoritaire », je suis sûr, il aurait refusé. Il serait tombé en panne.

Je vais prendre un chat. Toi, tu as retrouvé Timide, moi je n'ai plus personne à caresser, ni chat ni femme. Timide et Sylvie, mes deux êtres chers, ont disparu.

Je me souviens de la première fois où l'on s'est rencontrés. C'était chez Claude Lévi-Strauss. Je réalisais un documentaire pour la télévision. Je venais de m'engueuler avec la scripte et le planning m'avait envoyé en remplacement Sylvie, fraîchement arrivée à la télévision. Elle était fraîche et charmante, elle avait un béret rouge et un sourire rayonnant. C'était une excellente scripte, consciencieuse et fine. Elle avait travaillé sur plusieurs longs métrages et découvrait la télévision.

On s'est tout de suite bien entendus. Je l'ai fait rire en disant des bêtises. Je me rappelle lui avoir dit que j'allais demander à Monsieur Lévi-Strauss, qui nous impressionnait, de mettre son Levi's, de prendre son accordéon pour nous jouer une valse de Strauss. Ce n'était pas très drôle, elle a eu la délicatesse de rire. À la fin de la semaine, je lui ai proposé de dîner avec moi, elle a accepté.

Je suis allé la chercher, elle logeait chez une amie à Pigalle, elle s'était faite belle, elle était charmante, elle portait un short en velours noir, c'était la mode, et un corsage en soie blanche, elle avait au cou un pendentif avec une tête d'éléphant.

Je l'ai invitée chez Charlot, c'était à l'époque un très bon restaurant de poissons. Après je lui ai proposé de venir chez moi. Elle a accepté avec un grand sourire. On est repassés à sa chambre pour prendre sa trousse de toilette.

J'habitais à une dizaine de kilomètres de Paris, dans une banlieue triste. Elle m'avouera après qu'elle avait été un peu inquiète en traversant les rues sinistres. Elle ne me connaissait pas plus que ça. On est arrivés chez moi, un HLM près d'un canal glauque. Je crois qu'elle a été un peu atterrée par mon appartement.

C'était un appartement d'homme seul, le désordre habituel. Journaux sur le sol, vaisselle sale dans l'évier.

Elle a dû être accablée quand elle a vu le décor, mais délicate, elle n'en a rien laissé paraître. Je crois quand même qu'elle était contente d'être venue. Elle est restée.

Elle a eu tout de suite en tête de me faire quitter cet endroit pour aller à Paris, et nous nous sommes retrouvés près de Montmartre, dans un charmant appartement rue des Saules.

Plus tard, on a acheté, dans le même quartier, un atelier d'artiste. En levant la tête, on voyait le ciel. Quand il y avait des orages, c'était superbe, on assistait au spectacle sans se mouiller.

Puis il y a eu la maison Art déco de Georges Milton, le célèbre chanteur de « Elle me fait "pouet-pouet"... ».

Enfin, notre dernière maison à Paris, pleine de roses.

Elle croyait en moi, et grâce à elle j'ai commencé à y croire. À l'époque, j'étais presque rien, maintenant je suis presque quelque chose.

Je pense qu'elle était fière de moi. Elle me faisait dédicacer mes livres pour ses amies. Je voudrais qu'elle continue à l'être, maintenant que je sais qu'elle voit très bien de loin. Bien que tu ne sois plus là, je continue à me laver presque tous les jours et à me raser. Je fais attention, je me fais beau, pour que tu ne sois pas honteuse de moi et que tu penses que, malgré tout, je suis courageux. Heureusement, il y a Marie, ma fille. Il faut que je sois à la hauteur. Tu as dû voir comme tout le monde t'aimait bien ici-bas. Il y en a beaucoup qui ont pleuré. Moi, je n'ai pas pleuré. Je ne sais pas. Je ne pleure que pour les petits malheurs, pas pour les grands. De toute façon, je crois que je n'ai plus de larmes. Quand j'étais petit, je pleurais chaque fois qu'il faisait froid. J'ai dû épuiser mon réservoir de larmes.

J'ai retrouvé tes lunettes que tu égarais toujours, un peu volontairement. Tu n'aimais pas les mettre, certainement pour faire croire que tu étais encore un peu jeune.

J'ai pris tes lunettes et je les ai mises, je voulais savoir ce que tu voyais. Et j'ai regardé le monde à ta façon.

La réalité à travers tes lunettes est moins hostile, le monde est plus rose, plus doux, les gens sourient.

Je me demande si je ne vais pas les garder.

Ça me manque de ne pas pouvoir te parler de moi. Je vais devoir apprendre à me parler tout seul.

On ne s'est pas ennuyés, ensemble, pendant quarante ans. Je pense que c'est un signe. On devait être un vrai couple. On aimait les mêmes choses, les mêmes maisons, les mêmes gens, les mêmes vins, souvent les mêmes films, les mêmes fleurs, les mêmes chats. On riait des mêmes choses. Pour la musique, il y avait un petit contentieux, j'écoutais de la musique sans arrêt et souvent les mêmes morceaux. Je t'ai fait haïr certaines sonates de Mozart, et Bach te portait sur les nerfs. Même les *Variations Goldberg*, pourtant destinées à calmer, t'énervaient. Tu aimais Ravel beaucoup plus que moi et tu étais curieuse de la musique moderne.

Pour Pierre Desproges, on était un vrai couple, il nous trouvait assortis, il nous appelait « les beiges » parce qu'on portait toujours des vêtements en demi-teinte, lui qui aimait bien les couleurs vives. Le jour de notre mariage, il était vêtu de couleurs exubérantes. Je me souviens d'Henri, un invité qui ne l'aimait pas beaucoup. Le voyant arriver, il avait déclaré sournoisement : « Je ne savais pas qu'il fallait venir déguisé. »

C'était à Gizancourt, dans une grange. Pierre a fait un beau discours et tu étais la plus belle mariée du monde.

Je voudrais t'écrire, mais je ne sais pas où. Les enfants qui envoient leur lettre au Père Noël marquent sur l'enveloppe « Ciel ».

Je m'apaise un peu en m'occupant de Jean-Marie, c'est un pigeon très con. Je lui émiette des biscottes sur le rebord de ma fenêtre depuis un mois, il a toujours peur de moi, il n'a pas encore compris que j'étais un brave type.

J'appelle des gens heureux, Cynthia qui vient d'avoir un bébé.

J'espère que tu as eu une belle vie. Tu as fait un beau métier, tu as eu beaucoup d'amis, tu as lu beaucoup de beaux livres, tu as eu de belles maisons, tu as eu de belles robes, tu as eu l'occasion de réaliser de beaux documentaires, tu as eu de beaux chats très doux et puis il y a eu moi, pas très doux, j'espère que je ne t'ai pas trop gâché le séjour.

Tu ne seras jamais vieille, tu n'auras jamais la maladie d'Alzheimer que tu craignais tellement, tu es partie en beauté, un gracieux roulé-boulé dans les feuilles de l'automne. Les parachutistes font un roulé-boulé quand ils descendent du ciel, toi tu l'as fait avant de monter.

Tu aurais pu avoir un peu de patience, attendre qu'on parte ensemble. On dit que la fin du monde est proche.

J'ai pris un chat. Elle s'appelle Salomé.

Salomé n'est pas très affectueuse, elle est comme moi, elle n'aime pas qu'on la prenne dans les bras, comme si elle avait peur qu'on l'étouffe. Quand je pense à Timide, il était plus câlineux. Il me faisait patte douce, il caressait ma joue avec sa patte.

Salomé est très belle, on dirait un petit tigre. Elle a la couleur d'un fauve et des yeux verts. Elle est effrontée, indocile. J'ai envie d'écrire, j'espère qu'elle ne le lira pas, que c'est une allumeuse.

J'ai été invité à la radio et à la télévision pour commenter un fait divers atroce. Un père de famille a étouffé sa fille de six ans qui était lourdement handicapée. On m'invite toujours quand il y a des drames, un jour j'aimerais être invité pour un événement heureux. Il n'y a pas écrit « malheur » sur mon front, je ne m'appelle pas Monsieur de Porte-Poisse. Je ne veux pas être le Martin Gray du XXI$^e$ siècle.

*Tous les jours, et à tout point de vue, je vais mieux, de mieux en mieux.*
*Tous les jours, et à tout point de vue, je vais mieux, de mieux en mieux.*
*Tous les jours, et à tout point de vue, je vais mieux, de mieux en mieux.*
*Tous les jours, et à tout point de vue, je vais mieux, de mieux en mieux...*

Quand je voulais te mettre en colère je disais
que tu étais une bonne ménagère.

Tu rangeais tout et je ne retrouvais rien.
Aujourd'hui je n'ai plus rien à perdre.

J'ai vidé ton sac à main. Tu le maudissais, tu ne retrouvais jamais rien dedans. J'étais mal à l'aise de fouiller dans ton sac, je crois que tu n'aurais pas aimé, je devais le faire. J'ai retrouvé une ordonnance avec la prescription d'un vaccin. J'ai retrouvé ta Carte Senior toute fraîche de la SNCF, tu n'aimais pas la montrer, je l'appelais la carte Vieux con. Tu n'en as plus besoin, tu peux aller partout maintenant sans ticket, dans le ciel, dans la mer, sur la terre. Les vivants ne sont qu'à un endroit à la fois, les morts sont partout.

J'ai retrouvé ta carte d'identité, tu es très bien sur la photo, je l'ai mise dans mon portefeuille avec ma carte ; j'ai fait en sorte que les deux photos soient l'une contre l'autre ; là, au moins, on est ensemble. J'ai retrouvé des billets de banque dans ton porte-monnaie, je n'ose pas les utiliser, j'aurais l'impression de te voler. C'est complètement idiot, d'autant que j'ai payé de ma poche les Pompes funèbres. Tu me les dois. Trois mille euros. Pourtant, j'avais pris un cercueil pas cher, puisque c'était pour le brûler.

J'ai reçu un questionnaire du crématorium du Père-Lachaise, ils veulent savoir si j'ai été satisfait des prestations. Je dois mettre des croix dans des petites cases, de « insatisfaisant » à « très bien ». On demande aussi mes observations et mes suggestions. Tout est passé en revue, l'accueil, la courtoisie, le choix des textes, le choix des musiques. Il y a aussi un service traiteur. À la rubrique « suggestion », je vais proposer un barbecue géant.

Je dois noter le maître de cérémonie, sa tenue, son savoir-faire, sa courtoisie. Le nôtre était bien dans la note, il avait une tête d'enterrement, ce qui est la moindre des choses, il était vêtu sobrement, pas de couleurs vives, un peu triste. Ensuite, on parle de la salle, du décor. On demande si la remise des cendres s'est bien déroulée… Qu'est-ce que ça peut être, une remise des cendres qui se déroule mal ? Une erreur de cendres, une urne qu'on renverse ?

Pour la fin, je garde le meilleur : « Recommanderiez-vous le crématorium du Père-Lachaise à vos proches ? »

J'ai été amputé de toi sans anesthésie. On m'a retiré ma moitié, ce que j'avais de mieux. Je m'arrose de ton parfum pour que tu repousses.

Il arrive encore du courrier pour toi, j'ouvre tes lettres. Un jour, je vais peut-être découvrir la lettre d'un amant qui t'aimait éperdument. Je pense que je ne t'en voudrai pas, peut-être même que j'aurai envie de le rencontrer, pour parler de toi.

Mon métro passe à Père-Lachaise. Chaque fois que nous passions à Père-Lachaise, je me souviens, je disais pour te faire rire : « Père-Lachaise, tout le monde descend ! », et tu riais. Ce n'était pas vrai, tout le monde ne descend pas. Moi, je descends toujours à Porte-de-Bagnolet.

Je pense à la petite niche du pigeonnier des morts, dans laquelle tu loges. J'ai été te voir au columbarium, c'est gai comme un parking. Ta case est au numéro 97 TR 2010, on dirait un numéro d'immatriculation de voiture. Tu es au troisième sous-sol, il fait très sombre. Manuela a voulu aller te voir, mais elle n'a pas osé descendre aussi profond, elle a eu peur. J'ai eu du mal à te trouver, à lire ton nom, tu es tout en bas, comme sur les génériques de fin, là où il y a le nom du réalisateur.

On dirait une consigne de gare, tu y as laissé les bagages encombrants, les impedimenta. L'essentiel est ailleurs, tu n'as pas voulu t'alourdir pour décoller plus vite.

Françoise vient une fois par semaine te mettre des fleurs. Avec la somme qu'elle a récoltée auprès des gens de la Campagne, elle a assez pour mettre des fleurs toute l'année.

Il paraît que, souvent, on te pique des fleurs.

Je n'ai pas envie que tu restes dans cet endroit. Je voudrais que tu sois à la lumière. Je vais essayer d'acheter un petit bout de terrain en surface, et faire un caveau, un biplace pour nous deux, un peu comme un side-car. Tu seras assise dans l'habitacle, à l'abri avec un chat sur les genoux qui te tiendra chaud, et moi je serai sur la moto, cheveux au vent. On sera près de Molière, Chopin et Pierre Desproges. Sur la dalle, on gravera nos deux noms, comme sur un générique, quand on travaillait ensemble à la télévision, et une épitaphe : «Finalement, nous ne regrettons pas d'être venus.»

Tu m'as mis dans de beaux draps. Tu adorais les beaux draps brodés, il y en avait plein les armoires. Tu me faisais dormir dans la dentelle, j'y ai pris goût.

Ma fille Marie est venue m'aider. Elle a été formidable. Elle est comme avant. Elle a toujours de l'humour, avec, en plus, de la maturité, ce que je n'ai pas encore. Elle a la patience, la sérénité, peut-être qu'à son contact, je vais les attraper ? Avant de repartir chez elle, Marie a collé des Post-it sur le réfrigérateur avec des consignes : « Changer tous les jours l'eau de Salomé », « Penser à changer la litière, les chats sont délicats », « Jouer avec Salomé au bouchon », « Boire du jus de carotte et de la tisane », « Manger des légumes, soupe et salade », « Demander à Dieu des grâces de confiance de paix et de patience ». J'ai découvert les Post-it après son départ, je lui ai téléphoné pour lui demander si je pouvais demander à Dieu de changer la litière de Salomé. Marie, qui a une confiance totale en Dieu, et qui ne doute de rien, m'a répondu « Bien sûr ».

J'ai retrouvé le petit chapeau-cloche que tu mettais quand on allait se promener avec le cabriolet traction. Il est blanc comme la traction. Les gens nous regardaient passer avec le sourire, on leur offrait du passé, un moment de leur jeunesse, ils avaient l'impression de feuilleter un vieux numéro de *L'Illustration* qui faisait la publicité du cabriolet Citroën.

Tu as pleuré quand je l'ai vendu.

Puis le petit chat est mort, et maintenant c'est toi. C'est le début de la fin. Je vais devoir me contenter de souvenirs. J'aime bien évoquer le passé avec des amis d'époque. Un bon souvenir, c'est comme une bonne bouteille, il ne faut pas le boire seul. Quand je vois à quelle vitesse mes contemporains disparaissent, ce que je crains le plus, c'est le jour où il n'y aura plus sur terre une personne à qui je puisse poser la question « Tu te souviens ? ».

J'ai acheté une bouteille de saint-estèphe, je ne dois pas me laisser aller, j'aurais bien aimé la boire avec toi, j'aurais caché l'étiquette pour te faire deviner ce que c'est. On jouait à ça souvent.

Je l'ai bue, ça va mieux. Il faut que j'apprenne à profiter du présent, à déguster l'instant, sans passer à demain, parce que demain ne me dit rien de bon.

J'invite des veuves à déjeuner à la maison. Monsieur Picard est la providence du veuf, je dégèle des petits plats pour réchauffer les veuves. On parle de nos conjoints qui n'avaient que des qualités parce que, c'est bien connu, ce sont les meilleurs qui partent les premiers. On est quelquefois gênés d'être encore là.

Le plus terrible, c'est que je vais mourir seul, tu ne seras pas là pour me rassurer, me tenir la main, me fermer les yeux.

En même temps, je préfère que tu évites tout ça. Toi au moins, tu ne seras jamais veuve.

Je me rappelle un jour, il y a très longtemps, avoir rencontré un vieux monsieur. Il m'avait demandé son chemin, et comme j'allais dans la même direction, on a bavardé. Il m'a dit que sa femme venait de mourir, il était bien triste, il répétait comme une mélopée « Elle était gentille avec moi, elle était gentille avec moi... ». Je ne savais quoi lui dire pour le consoler, je me disais qu'il lui était arrivé la pire des choses, perdre sa femme, en plus une femme qui était gentille avec lui.

J'ai souvent repensé à lui. Maintenant, je suis comme lui, il m'est arrivé des choses. J'ai perdu ma femme qui était gentille avec moi. Parce que tu étais gentille avec moi, trop peut-être, et j'en profitais, comme un sale gosse.

J'ai retrouvé ton trousseau de clés.

Quel soulagement quand j'entendais ta clé tourner dans la serrure. Inquiet, trouvant que ton rendez-vous avait duré trop longtemps, j'avais toujours peur que tu ne rentres pas. Son bruit était aussi beau que l'Alléluia du *Messie* de Haendel. Je ne l'entendrai plus.

Tu n'as plus besoin de clé pour rentrer dans la maison, tu n'as plus besoin de sortir, reste avec moi.

Et puis, il y a eu la lettre.

Laurent m'a offert une lettre de condoléances autographe d'un auteur du XIXe. Il avait d'abord essayé d'en écrire une, puis il a renoncé. C'est difficile d'écrire une lettre de condoléances sans tomber dans les clichés, il n'y a pas de mot.

Il a donc décidé d'acheter une lettre de condoléances à un marchand de manuscrits et d'autographes. Il me la donne en me disant : « Tu ne dois pas connaître le nom de l'auteur. »

J'ai lu la lettre, elle était datée du 18 juin 1887, elle était écrite à l'encre noire sur une feuille couleur d'automne. Le papier avait jauni. Le texte était simple et émouvant, pas de mot compliqué, mais il s'en dégageait une tristesse sincère. Elle était signée Joseph Bédier. Médiévaliste célèbre dont la traduction de *Tristan et Yseult* fait encore autorité.

Joseph Bédier était le grand-père de la meilleure amie de Sylvie, Françoise, qui lui avait appris le métier de scripte et dont elle disait « Elle est ma vraie famille ».

Il a fallu cent vingt-trois ans pour que cette lettre d'un jeune homme de vingt-trois ans me parvienne, pour me consoler de la perte de l'amie de sa petite-fille. Une lettre qu'il a écrite alors que l'une et l'autre n'existaient pas encore.

Je serais tenté de ne pas utiliser le mot « hasard » pour cet événement.

Un ami m'a raconté que, à l'enterrement de sa femme, l'étreinte de la meilleure amie de celle-ci l'avait émoustillé, avec effet secondaire. Il avait honte, il me demandait mon avis, il pensait qu'il n'aimait pas sa femme. Elle était morte après une très longue maladie, il l'avait soignée et accompagnée de façon exemplaire, il l'aimait beaucoup. Il se demandait maintenant, après l'événement, s'il l'aimait vraiment.

Je lui ai donné l'absolution. Sans pénitence et avec les félicitations du jury. Je l'ai rassuré en lui disant que ça n'empêche pas les sentiments. Je lui ai dit, m'avançant peut-être, que sa femme devait être contente de le voir reprendre goût à la vie. Il se prenait pour un monstre. Qu'il arrête de se vanter, il est seulement un être humain.

Moi qui ai eu souvent envie de te tromper, et pas seulement l'envie, est-ce que maintenant je peux te tromper sans te faire de chagrin, sans que tu le saches ?

Tu m'as dit que tu voyais très bien de loin.

Ça me fait peur.

Je n'oublie pas le bruit que tu faisais en ouvrant le rideau de la chambre après la sieste. Je l'ai ouvert ce matin, il a fait du bruit mais pas le même qu'avant. Je ne vais plus l'ouvrir, je vais rester dans l'ombre.

Nous n'irons plus au bois…

Je n'ai plus envie d'aller au bois de Vincennes. On y allait tous les jours courir et saluer les oiseaux. Il y avait des corbeaux, je me souviens d'un corbeau qui volait avec, dans le bec, un morceau de papier, une lettre peut-être.

Je lui confierais bien un mot pour toi. Les oiseaux savent des choses que nous ne savons pas, nous les hommes, ils doivent savoir où tu te caches.

Depuis que tu es partie, j'ai pu compter jusqu'à sept millions neuf cent quarante-huit mille huit cents. Tu as eu le temps d'aller te cacher loin. Je cherche partout. Je ne te trouve pas, je désespère. La partie de cache-cache dure trop longtemps. Allez, tu as gagné, tu peux sortir de ta cachette. Je n'ai plus envie de jouer. Sors de ta cachette, tu as gagné. Sors de ta cachette, je t'en supplie, j'ai perdu, j'ai tout perdu.

Je suis le seul survivant de notre couple, je vais devoir continuer à avancer, tout seul. Est-ce que je vais avoir envie ?

Quand je vois des couples dans la rue, je me pose une question. Lequel des deux va mourir le premier ?

*Tous les jours, et à tout point de vue, je vais mieux, de mieux en mieux.*
*Tous les jours, et à tout point de vue, je vais mieux, de mieux en mieux.*
*Tous les jours, et à tout point de vue, je vais mieux, de mieux en mieux.*
*Tous les jours, et à tout point de vue, je vais mieux, de mieux en mieux...*

J'ai retrouvé dans un pot de fleurs tes gants de jardin. J'ai pensé à tes mains, elles qui avaient taillé, bêché, ratissé, planté. Je pense à tous les beaux jardins que tu as créés dans nos nombreuses maisons, je me souviens du jardin tout blanc de Chelles, du jardin rose et bleu du Puech. Tu faisais de merveilleux bouquets avec des fleurs, des feuillages. Chaque invité avait droit dans sa chambre à un bouquet.

J'ai sous les yeux les centaines de roses du jardin de la Campagne à Paris. À force de toucher les fleurs, tes mains ont commencé à se tacher légèrement de fleurs, celles qu'on appelle les marguerites de cimetière.

Quand je pense à tes mains, je pense à tous les légumes qu'elles ont épluchés pour moi et pour les autres, les salades colorées. Je pense à tous les repas magnifiques que tu nous as faits.

Tu étais douée pour la cuisine, certaines filles n'osaient pas nous inviter. Elles avaient peur de ne pas être à la hauteur. Pourtant, quand on était invités, tu n'étais pas avare de compliments. Tu trouvais délicieux des plats très ordinaires, ce qui avait l'art de m'agacer. Pour faire plaisir, tu étais capable d'être malhonnête.

Quand, le soir, je fumais mes trois cigarettes quotidiennes, tu faisais tout pour montrer que l'odeur t'incommodait, tu t'enfouissais le visage dans un chiffon, tu soupirais bruyamment, tu faisais semblant d'étouffer, tu ouvrais les fenêtres, même en plein hiver. En revanche, quand on avait du monde et qu'un invité demandait s'il pouvait fumer, tu acceptais avec joie, comme si tu n'attendais que ça, laissant presque imaginer que tu adorais l'odeur du tabac. Tu aimais l'odeur du tabac des autres, pas celle du mien, pourtant je fume des Craven A, du tabac blond de Virginie.

Je me souviens aussi avec quelle énergie quand, à la fin d'un plat, la maîtresse de maison voulait changer les assiettes, tu refusais, invoquant toutes les raisons, jusqu'à dire « À la maison, on ne change pas d'assiette ». Alors qu'à la maison, je me faisais engueuler quand je mangeais de la salade dans l'assiette où il y avait eu de la viande. Tu prétextais ensuite que c'était parce que la maîtresse de maison n'avait pas de lave-vaisselle, alors que, bien évidemment, elle en avait un. Je te regardais dans les yeux, sidéré de te voir mentir avec un tel aplomb.

Au portemanteau est resté longtemps ton manteau rouge. Chaque fois que je passais devant, je mettais le nez dans le tissu pour respirer ton parfum.

Je n'ai jamais pleuré, je crois, quand tu es morte. J'ai envie de dire que j'étais trop malheureux, et les larmes paraissaient dérisoires. Je pleure seulement au cinéma, parce que c'est du cinéma.

Toi, tu ne seras pas triste quand je vais mourir. J'ai envie d'écrire « au contraire ». Ça ne m'amuse pas follement de mourir seul. Qui va me tenir la main ? Qui va me rassurer ? J'avais promis que, le jour de ma mort, si j'entendais dire « C'est la fin », j'ajouterais « des haricots », pour te faire rire une dernière fois.

J'ai trié les livres de ta table de nuit. Il y avait *Le Monde d'hier* de Stefan Zweig, *Pourquoi j'ai mangé mon père* de Roy Lewis, *La Carte et le Territoire* de Michel Houellebecq. Il y avait mon dernier livre, *Poète et paysan*, j'ai relu la dédicace : « La génisse au regard triste, la fille du fermier ne le méritait pas. Il n'y en a qu'une qui le méritait. Elle l'a eu. Tant pis pour elle. »

Je t'ai vue lire une quantité de livres, des très longs, des très lourds, des ennuyeux que tu lisais malgré tout, jusqu'au bout. J'ai toujours admiré ton courage. Moi, dès qu'un livre m'ennuie, j'arrête. Ma table de nuit croule sous les livres entamés que je ne finirai jamais. Toi, tu disais que tu voulais laisser sa chance à l'auteur, jusqu'au bout. Tu imaginais qu'après quatre cent cinquante pages ennuyeuses, tu allais découvrir, à la fin, les dernières, passionnantes. Les auteurs avaient bien de la chance de t'avoir comme lectrice.

Il y a un livre que tu n'avais pas encore terminé, c'est triste, tu ne sauras jamais la fin. J'ai envie de le continuer. Je vais le lire à ta place.

Sylvie disait toujours merci, à tout le monde. Elle s'excusait toujours, ce qui avait le don de m'agacer. On avait l'impression qu'elle s'excusait d'être venue sur la terre, qu'elle avait peur de déranger, comme si elle était de trop, comme si elle n'avait pas été invitée.

Bien sûr que tu avais été invitée, et heureusement pour moi. Quand on avait fait le plan de table, on avait prévu de te mettre à côté de moi. Si je suis venu, c'est parce que je savais que tu serais là, sinon je ne serais peut-être pas venu. Tu as été invitée et inventée pour me tenir compagnie, pour me rendre la vie plus douce.

Toi qui disais pardon à tout le monde, pourquoi es-tu partie sans prévenir, tu t'ennuyais avec moi ? Tu ne t'es même pas excusée, cette fois-là, tu ne m'as rien dit, tu ne m'as pas dit « Je te demande pardon de mourir ».

Tu n'as pas osé. Tu savais bien que je ne t'aurais pas pardonnée. Peut-être que tu ne voulais pas que je t'accompagne. Peut-être que tu avais un rendez-vous ailleurs, avec un autre. Si tu m'avais dit que tu partais, je serais parti avec toi, je t'aurais raccompagnée, comme la première fois, quand on a dîné ensemble et que je t'ai conduite à mon HLM.

Tu étais la basse continue de ma musique. Tu sais que la basse continue est toujours là, elle ne s'interrompt pas pendant toute la durée du morceau. Pourquoi tu t'es interrompue ?

Pourquoi tu es partie si tôt ? Peur d'être en retard ?

Pourquoi tu ne m'as pas attendu ? Tu savais bien qu'on allait au même endroit, on aurait pu y aller ensemble. Tu voulais être tranquille, toute seule. Tu me trouvais collant, tu en avais un peu marre de moi, je t'agaçais.

J'irais bien te rechercher, comme Orphée, mais je ne sais pas traverser les miroirs. Les miroirs, je ne sais que me regarder dedans, pour mesurer l'ampleur du désastre.

Quand je pense que, tous les soirs, je vérifiais

si le gaz était bien fermé, et je le faisais plusieurs fois. J'avais peur qu'on soit asphyxiés pendant la nuit et qu'on ne se réveille pas. Aujourd'hui, je le regrette. Je n'aurais jamais dû vérifier, peut-être qu'avec un peu de chance on serait partis ensemble.

Maintenant, tous les matins, je me réveille seul. Je ne me souviens plus tout de suite de la triste nouvelle, comme si tu remourais tous les matins. « Remourir » est un verbe qui, heureusement, n'existe pas, je l'ai inventé, ça veut dire mourir à nouveau. On dit bien « revivre ».

*Tous les jours, et à tout point de vue, je vais mieux, de mieux en mieux.*
*Tous les jours, et à tout point de vue, je vais mieux, de mieux en mieux.*
*Tous les jours, et à tout point de vue, je vais mieux, de mieux en mieux.*
*Tous les jours, et à tout point de vue, je vais mieux, de mieux en mieux...*

Tu n'as pas téléphoné ce mois-ci. Madame SFR a une bonne nouvelle : tu as droit à un report d'une heure. Le mois prochain tu disposeras au total de deux heures.

Ton téléphone est dans la chambre, sur une commode. Il est noir, il a l'air d'un gros scarabée sur le dos, il est mort. J'ai peur d'y toucher, je n'ai pas envie de le donner. Je me souviens encore du dernier coup de fil que tu m'as passé. J'étais à Arras, je venais de faire une présentation de mes livres, j'ai entendu la sonnerie de mon portable, quelle joie quand j'ai vu « Sylvie » affiché, tu voulais savoir si ça s'était bien passé, ça s'était bien passé.

C'était avec ce téléphone que tu m'appelais pour me rassurer, pour me dire de ne pas m'inquiéter, que tu rentrais bientôt.

Ce que j'ai dû t'embêter avec mon inquiétude permanente. Tu le disais parfois, tu ne te sentais pas libre de discuter un moment, de t'attarder. Une de tes amies m'avait dit : « Sylvie nous quittait souvent en disant "Il faut que je rentre, Jean-Louis va s'inquiéter". » J'espère que tu en étais un peu fière. Souvent, aussi, tu étais agacée, tu ne te sentais plus libre. J'étais un boulet. Je voulais toujours t'accompagner, même quand tu allais dans les magasins pour te choisir des vêtements. Pour me faire pardonner, je payais. Je crois que, souvent, tu aurais préféré payer plutôt que de traîner toujours ce pot de colle.

Je ne suis plus inquiet maintenant, sauf pour Salomé.

Sur mon téléphone portable, j'ai retiré ton nom de mes contacts. J'ai appuyé sur « chercher », j'ai fait dérouler tous les noms jusqu'à « Sylvie », puis j'ai appuyé sur « options » et là j'ai choisi « supprimer ». Mon écran a affiché une terrible question : « Supprimer Sylvie ? » J'ai hésité longtemps. Finalement, j'ai enfoncé avec émotion la touche « OK ». J'avais l'impression d'être le président de la République qui appuyait sur le bouton rouge de la bombe atomique. Est apparu alors sur l'écran une petite poubelle avec un couvercle sautillant qui s'est posé dessus pour la fermer. Voilà c'était fait, je t'avais mise à la poubelle. Certainement qu'un jour, Madame SFR, toujours ludique, aura l'idée de mettre, à la place de la poubelle, un cercueil avec un couvercle qui se referme.

On allait souvent au restaurant ensemble, notre restaurant habituel, c'était le Petit Marguery, puis après, le Bistrot des soupirs. J'étais toujours sidéré de voir dans les restaurants des couples qui ne se disaient pas un mot, sauf, quelquefois, passe-moi le sel. Je me rappelle, à l'occasion d'une émission sur les scènes de ménage, avoir reçu une lettre d'une dame d'une soixantaine d'années qui racontait que, depuis son mariage, elle avait constamment des scènes de ménage et que, ces derniers temps, ils n'en avaient plus. Elle était très inquiète. Le feu était définitivement éteint, le contact était coupé. Ce n'était pas notre cas, nous avions toujours des choses à nous dire, pas toujours des gentillesses, mais le courant passait, le contact n'était pas coupé.

J'ai été choqué que le printemps arrive alors que toi, tu étais déjà partie. Tu n'avais pas passé l'hiver. J'ai souhaité un moment que le printemps ne revienne jamais, qu'il n'y ait plus de printemps, plus d'été. Tu n'étais plus là, j'étais malheureux, il fallait que la terre entière soit triste. Toute la nature devait marquer le coup, porter le deuil. Toutes les capitales du monde devaient mettre leur drapeau en berne. J'ai même appelé Lamartine à la rescousse, des souvenirs de poésie apprise par cœur à l'école me sont revenus : « Le deuil de la nature convient à la douleur et plaît à mes regards. »

La joie du printemps, avec son tintamarre d'oiseaux et ses couleurs vives, me semblait indécente.

Je me suis mis au soleil, pour bronzer. J'ai regardé les bourgeons dans notre jardin, j'ai eu l'impression que, cette année, les fleurs sortaient plus lentement que d'habitude, comme si elles étaient un peu gênées d'arborer en période de deuil les couleurs vives de leurs pétales. J'ai pensé que toute cette nature revivait grâce à toi. Tu passais beaucoup de temps dans ton jardin, à traiter, à tailler, à bêcher. Tu n'as pas travaillé pour rien, les fleurs te le rendent maintenant.

Alors, j'ai pardonné au printemps.

C'est comme ton livre sur les retraités. Tu avais beaucoup travaillé dessus. Tu es partie avant qu'il sorte. Il va sortir au mois de mai. Je suis allé le présenter aujourd'hui aux représentants, je leur ai expliqué pourquoi c'était moi qui venais en parler, tu n'étais plus libre. J'ai senti beaucoup de gentillesse autour de moi. J'espère avoir été convaincant. J'ai dit que le livre était très bien, qu'il redonnait confiance en l'humanité, que les enthousiasmes de la jeunesse avaient la vie dure, qu'ils ne s'éteignaient pas et qu'ils étaient capables de se rallumer lors de la vieillesse.

Je suis fier d'avoir eu une femme qui a écrit un livre, j'espère qu'il va avoir du succès, ne serait-ce que pour les éditeurs qui t'ont fait confiance.

La couverture est très bien, sobre et simple, comme tu l'aurais souhaité. Pour le nom de l'auteur, j'ai hésité, Sylvie Durepaire, Sylvie Fournier-Durepaire ou Sylvie Durepaire-Fournier ? J'ai choisi le dernier, je tenais à être associé à toi, comme ce sera, j'espère, pour le générique de fin, sur notre pierre tombale.

Parce que j'aimerais bien passer l'éternité avec toi.

Je me souviens d'une discussion que nous avions souvent, tu t'étonnais que je sois ravi de laisser des livres que les gens liraient peut-être après ma mort. Tu me disais « Qu'est-ce que ça peut te faire, tu ne seras plus là ? ». Je suis très ravi de penser que des gosses continuent à conjuguer le verbe péter à l'imparfait du sub-jonctif et à calculer le poids du cerveau d'un imbécile. Toi, tu t'en foutais éperdument de lais-ser des traces. Tu en as laissé beaucoup plus que tu ne crois. Je ne parle pas seulement de ton sourire rayonnant, je pense à tes documentaires, je pense à la décoration de nos maisons, je pense aux jardins, aux arbres, aux fleurs qui existent grâce à toi dans notre superbe jardin de Charente. Et tes dîners. Hier, des amis m'ont téléphoné pour me dire qu'ils étaient en train de manger des frites de céleri, une recette que tu leur avais donnée, que c'était très bon et qu'ils pensaient à toi. Et les surprises que tu m'as faites si souvent. Je pense à mes anniversaires où, dans le secret, tu réunissais mes amis.

Tu n'aurais certainement pas aimé que j'écrive un livre sur toi. Je t'en avais menacée une fois, à une époque où je ne pensais pas le faire. D'abord, ce livre n'est pas sur toi, il est sur nous. Je ne l'écris pas seulement pour qu'on continue à t'aimer, mais aussi pour parler une fois encore de moi. Je l'écris pour nous faire revivre ensemble. Dans les livres, il n'arrive que ce que veut l'auteur, c'est lui le patron, ce n'est pas comme dans la vie.

Tout ce que les machines compliquées de la Salpêtrière n'ont pas réussi à faire, moi, je le fais avec des mots. Je te réanime.

Je n'ai pas besoin de photos de toi, j'ai de la mémoire.

Je n'aime pas prendre des photos des gens qui me sont proches, je pense à la douleur que j'aurai à les regarder quand ils ne seront plus là.

J'ai l'impression qu'on prend des photos des gens pour avoir des souvenirs d'eux, pour ne pas les perdre entièrement quand ils disparaîtront. J'ai l'impression que ça porte malheur de prendre une photo de quelqu'un.

Il y a plein de photos de toi et de nous. Il y en a une que j'aime bien, on est tous les deux, j'ai les cheveux longs, une gueule de voleur de poules, l'air effronté ; toi, tu as l'air tout émue, toute fragile, toute confiante. La poulette que j'ai dans les bras, je ne l'ai pas volée, celle-là ; elle est venue d'elle-même s'abriter dans mes bras.

Elle ne savait pas encore ce que ça allait être, la vie avec moi.

Au début, après la mort subite de Sylvie, j'ai comparé mon drame à un tsunami. Quand j'y pense, je suis rétrospectivement un peu gêné, j'espère que je n'ai pas porté la poisse aux Japonais. Maintenant, je n'oserais plus faire la comparaison. Mon tsunami à moi n'a fait qu'un veuf, je pense aux milliers de veufs japonais.

Je ne dirais pas que le malheur des uns fait le bonheur des autres. Mais entre malheureux, j'ai l'impression qu'on a plus de choses à se dire. L'homme heureux devient un étranger.

Chaque fois que je vois des affaires à toi, j'ai du chagrin, surtout ton sac à main. Chaque fois que je rentrais à la maison et que je le voyais assoupi sur une chaise de l'entrée, j'étais rassuré, tu étais là.

Maintenant, ton sac est toujours là, mais pas toi.

García Márquez a écrit : « Les gens qu'on aime devraient mourir avec toutes leurs affaires. »

Il y a une chose que je ne t'ai jamais dite, un grand merci pour ce que tu as fait pour mes enfants, Mathieu et Thomas qui, à l'époque, rentraient très souvent le week-end de leur institut médico-pédagogique. Nous les emmenions à notre maison dans l'Oise. Tu devais avoir vingt-cinq ans, tu n'avais jamais été en contact avec des enfants handicapés et tu t'en es occupée merveilleusement, avec délicatesse, avec intelligence et avec le sourire. Thomas t'appelait Vivi (qui veut dire vivant en latin), il te doit d'avoir su un jour ouvrir et fermer une fermeture éclair. Tu as fait tout cela discrètement, tu ne t'es pas fait photographier avec eux.

C'est très difficile de s'occuper d'enfants handicapés, peut-être encore plus quand ce ne sont pas les siens ?

Tu avais la chance de ne pas connaître la jalousie. Tu as trouvé un appartement pour mon ex-femme qui vivait seule avec notre fille Marie. Tu m'as demandé de l'emmener avec nous en vacances au Portugal. Tu lui as même trouvé un fiancé, un Monsieur Bons-Offices.

Je ne crois pas qu'ils aient pensé un jour te remercier. Pour te punir du succès de mon livre *Où on va, papa ?*, ils t'ont même mise en quarantaine, et tu n'as pas eu droit à une petite fleur le jour de ton enterrement.

Ils sont bien assortis, tous les deux.

Ils se contentent de peu, ils se contentent l'un de l'autre.

Je me souviens de la première fois où tu es venue à Arras, voir ma mère. Elle a été enchantée par toi. Elle avait un peu peur, elle savait que j'étais un peu fou, elle me croyait capable de m'amouracher de n'importe qui. Quand elle t'a vue, elle a été rassurée. Son fils était en de bonnes mains, il allait pouvoir commencer une deuxième vie.

Je voulais absolument te montrer mon cabriolet traction. Il était au garage en train de se faire restaurer, il était recouvert d'enduit, on aurait dit qu'il était en terre cuite. Quand il a été repeint en blanc, on est allés se promener dans la campagne d'Artois, on est allés au mont Saint-Éloi. J'avais emporté un lecteur de cassettes et une cassette de Charles Trenet qui nous chantait en boucle «Quand votre cœur fait "boum", tout avec lui, avec lui, dit "boum", et c'est l'amour qui s'éveille».

Si j'avais su que, quarante ans plus tard, ton cœur allait faire boum.

J'ai retrouvé une photo de toi, devant la mer. Tu ressembles au personnage que les peintres de marines mettent sur la plage. Une petite silhouette discrète pour donner l'échelle du paysage. Comme dans un tableau de Caspar David Friedrich. Tu regardes la mer comme la maîtresse du lieutenant français, la sublime Meryl Streep qui attend Jeremy Irons. Tu aurais été bien capable d'attendre aussi Jeremy Irons. Tu l'adorais. Moi, je ne l'aimais pas beaucoup, tu l'adorais trop, il était beau, oui, c'est vrai. Pour tout dire, j'étais jaloux.

Tu es élégante, comme d'habitude. Tu es en beige et blanc. Beige comme le sable, blanc comme la mer.

On a visité des centaines de maisons ensemble. Je me souviens des plus belles. Je n'ai jamais oublié notre émotion quand l'agent immobilier ouvrait la porte d'entrée et écartait les toiles d'araignées. Nous pensions pénétrer dans la maison de nos rêves. Au début, c'étaient des maisons modestes, puis on a visité des châteaux. Récemment, on rêvait de petits monastères avec un cloître. On voulait des grands espaces, toi tu voulais un grand jardin, moi, Antivol, l'oiseau qui a le vertige, je voulais de la place pour ouvrir mes ailes. Je voulais aussi pouvoir dire mes dernières paroles dans une grande pièce qui fasse résonner les mots. Parce que j'avais dans l'idée que j'allais mourir bientôt. Mais tu m'as eu.

Tu as gagné, tu es la première. Maintenant tu sais où on va.

Quand je te bassinais avec ma fin prochaine, tu me disais « Toi, tu enterreras tout le monde ». J'espère que ce n'est pas vrai, ce n'est pas une chance, le plus à plaindre c'est celui qui reste. Mais ne me plaignez pas, je ne vais peut-être pas rester longtemps, je ne fais que passer.

Un de mes amis qui sait maintenant aussi où on va m'a fait beaucoup rire, un jour, en me disant : « Toi, tu aurais dû mourir il y a dix ans, tu aurais laissé un bon souvenir. » J'ai failli tomber de vélo tellement je riais. C'est vrai que j'aurais peut-être dû.

Hier soir, je suis passé près de la Salpêtrière, là où on a essayé de te réanimer. Souvenir insupportable. J'avais demandé qu'on rase la Salpêtrière, on ne l'a pas fait. Finalement c'est mieux, il faut toujours penser aux autres, ceux qu'on va réussir à réanimer. Heureusement qu'il y a ce livre, notre livre. Je peux y mettre des mots doux et légers. Je ranime nos souvenirs heureux, il y en a beaucoup. On s'est bien amusés ensemble.

Nous sommes en train, avec Marie, de nettoyer notre jardin. J'ai fait tailler les rosiers, le soir j'arrose. Je me souviens, tu me disais que tu aimais bien arroser parce que tu faisais du bien aux plantes. Alors, le soir, je leur donne à boire de ta part. Je voudrais que ton jardin redevienne très beau, je n'ai pas oublié que tu vois très bien de loin.

La maison est bien tenue, je fais attention. Manuela est toujours à son poste. Maintenant, je me sens responsable de tout. Avant, c'était toi, et je ne me mêlais de rien, tu faisais tout mieux que moi. Maintenant, j'ai pris les choses en main. Je ne suis pas encore une fée du logis, mais je prends un certain plaisir à ranger. Comme je n'arrive pas à ranger ce que j'ai à l'intérieur de ma tête, je range ce qu'il y a à l'extérieur. J'ai retrouvé dans un casier à légumes des gros oignons, tu les avais achetés pour me faire pleurer ?

Ton livre, *Les Retraités sont débordés*, va sortir, on va bientôt m'envoyer un exemplaire, les Belges sont intéressés, ils me demandent de venir en parler à Bruxelles, je peux bien faire ça pour toi.

Tu reçois toujours du courrier. Aujourd'hui, pour te remercier de ta fidélité, Cortal Consors t'offre un taux exceptionnel de 5 % pour tout versement réalisé à l'ouverture de ton livret entre le 1er avril et le 31 mai. Il te suffit de contacter ton conseiller et son équipe.

*Tous les jours, et à tout point de vue, je vais mieux, de mieux en mieux.*
*Tous les jours, et à tout point de vue, je vais mieux, de mieux en mieux.*
*Tous les jours, et à tout point de vue, je vais mieux, de mieux en mieux.*
*Tous les jours, et à tout point de vue, je vais mieux, de mieux en mieux...*

Je n'aime pas beaucoup les matins gris du dimanche.

Avant, nous allions aux Puces. Je te suivais, ou alors je t'attendais pendant que tu fouillais dans des montagnes de draps brodés et qu'enfin tu dénichais la merveille.

Je dors maintenant dans des merveilles.

Tu voulais tout acheter, tout ce qui était beau, et je devais lutter pour résister. Je t'avais un jour proposé de te faire interdire de brocante, comme on se fait interdire de casino, pour ne pas succomber à la tentation.

Finalement, je ne regrette pas. Grâce à toi, je vis au milieu des belles choses, c'est une façon d'être moins malheureux.

Françoise va toujours te mettre des fleurs au

Père-Lachaise. Hier, elle a vu des camélias blancs devant ton casier. Je pense que ce sont Francine et Jean qui les ont mis. Moi, je n'y vais jamais, je n'ose pas, et puis je ne pense pas que l'essentiel de toi soit là-bas.

Tu as reçu par la poste un catalogue de plantes et de fleurs que je me suis permis d'ouvrir. On te propose des « fleurs autonettoyantes qui resplendissent de couleurs en toutes situations, même extrêmes. Larges et hautes, trois plantes suffisent pour garnir un mètre carré ». Elles sont hideuses. « Un saule crevette sur tige, et la fleur french cancan aux jupons froufroutants et aux pétales épais, ondulés et crêpés d'un vieux rose ourlé de jaune. » Que du beau.

Tu vois à quoi tu as échappé ?

J'ai fait un cauchemar. Cette nuit, j'ai rêvé que tu me quittais pour un autre. J'ai vu l'autre, il n'était pas extraordinaire, ce n'était pas Jeremy Irons, mais peut-être qu'il était très gentil. J'étais affreusement malheureux. Je n'ose pas me poser une question. Est-ce que je serais aussi malheureux si tu m'avais quitté pour un autre ?

J'ai retrouvé une photo d'identité de toi, elle va servir pour mettre sur ton livre. Je sais que tu ne t'aimais pas en photo, mais cette photo est très bien. Tu as l'air un peu triste. C'est peut-être normal, on ne doit pas avoir envie de rire tous les jours quand on est mariée avec moi.

Je vais l'envoyer à tous nos amis. Je suis sûr qu'ils seront contents, ça fait longtemps qu'ils ne t'ont pas vue. Moi, je n'en ai pas besoin, j'ai trop de mémoire.

Tu as reçu un gros versement de la SACD : 5 800 euros, ce que tu aurais été contente, je suis sûr tu m'aurais invité au restaurant le soir pour fêter ça.

Quand tu touchais de l'argent, tu pensais d'abord à faire plaisir. Je ne sais pas ce que je vais faire de cet argent, je n'en ai pas besoin. C'est ton argent, tu l'as gagné avec ton travail et ton talent. On a rediffusé ton documentaire, *L'Enfant et l'Orchestre*, un beau film où l'on voyait des enfants de milieu très modeste, passionnés par la musique classique, qui apprenaient à jouer d'un instrument. Les parents s'étaient saignés pour acheter un instrument souvent très cher.

Tu aurais été fière de savoir que ton film avait été rediffusé, parce que la télévision, depuis un bon moment, t'avait oubliée et tu en souffrais beaucoup, d'autant que moi, j'avais beaucoup de chance. Les téléphones et le courrier, c'était souvent pour moi, mais je n'ai jamais senti chez toi la moindre jalousie.

Au contraire, tu te réjouissais de mes succès. Les choses auraient été inverses, je n'aurais peut-être pas réagi aussi dignement.

Mais tu avais écrit un livre, tu avais des projets pour en écrire un autre, tu avais retrouvé le moral. Je pense que tu es morte heureuse. C'est une petite consolation pour moi.

En plus, la caisse de retraite va me verser une partie de ta retraite. Tu continues à me couvrir de cadeaux, tu ne peux pas t'empêcher, mais ces cadeaux me font très mal. J'aimerais tellement mieux pouvoir t'en faire encore.

J'ai sur le bureau de mon ordinateur le fichier avec ta photo. J'ai souvent la tentation de l'ouvrir pour te voir en grand. Certainement parce que ça me fait très mal. Cela dit, je n'ai pas à l'ouvrir pour te voir, tu es partout, tu m'as envahi.

Je t'ai souvent reproché d'être trop gentille. Je n'aimais pas le mot « gentil ». Depuis que tu es partie, j'ai l'impression d'avoir un peu changé. La gentillesse des gens commence à m'émouvoir, je fais peut-être du ramollissement cérébral, je vais arriver à la bienveillance sénile, qui doit être sur le chemin de la démence sénile.

Bientôt, je vais aimer tout le monde et je vais devenir redoutablement ennuyeux.

Ce qui m'émeut chez les gens, c'est leur biodégradabilité. Je les imagine sur leur lit de mort, et je les trouve émouvants ; même les gros cons vulgaires, je sais qu'une fois morts, ils seront moins vulgaires et ils ne diront plus de connerie. Le jour de la Toussaint, je ne vais jamais dans les cimetières, parce que ce jour-là, dans les cimetières, il y a plus de vivants que de morts. En Charente, notre jardin est entre un lotissement et un cimetière, les vivants et les morts. Nous pouvons faire la comparaison entre les deux voisinages. D'un côté, des pavillons en fausse pierre, des barbecues Louis XV, des piscines avec des enfants hurleurs, des fêtes, des anniversaires, des mariages, des karaokés...

De l'autre côté, des petites constructions en pierre ancienne, des clochetons ouvragés, des sculptures et des voisins d'une grande discrétion, pas de voitures, des fleurs, quelques oiseaux perchés sur les croix, le bruit du vent. Un endroit où on aurait presque envie de vivre.

On a eu plein de voitures. Le cabriolet traction, bien sûr, que tu adorais. Il y a eu aussi le
coupé Volvo, l'Alfa 6, le cabriolet Peugeot 404,
le coupé Rover. Et puis il y a eu la belle améri-
caine, la Camaro, et la Bentley, une voiture de
reine, ce qui était normal pour toi. Moi, j'étais le
chauffeur, mais je tutoyais la reine.

Je mets une écharpe de toi, fond beige avec des impressions de petites fleurs, grenat et vert. Elle est superbe. Hier, il y a deux personnes qui l'ont admirée, j'ai dit que c'était ton écharpe et, pour faire un mot, j'ai fait remarquer que tu avais du goût pour deux. Bien sûr que tu avais du goût, tu m'avais choisi. J'en suis très fier, tu ne devais pas t'en douter parce que, sur ces sujets-là, je suis taiseux.

Je savais que tu plaisais beaucoup et que j'avais eu des concurrents prestigieux, ce dont tu ne te vantais jamais, c'est plutôt moi qui m'en vantais, fier comme un petit coq.

J'ai été faire un débat à la télévision sur l'interdiction de fumer, avec Wermus. Au courant de la situation, il a été particulièrement gentil avec moi. Le veuf force la sympathie. Au cours du débat, il m'a demandé si j'étais un fumeur heureux, j'ai répondu «fumeur, oui».

Tu as réussi à m'apprivoiser, tu avais compris que je n'étais pas aussi mauvais que ça.

Tu avais une forte personnalité. Quand, pour me faire pardonner, je te citais des maris que je trouvais pires que moi, tu disais «De toute façon, ceux-là, je ne les aurais pas supportés».

Tu m'as supporté. J'étais donc supportable.

J'ai eu des hauts et des bas dans ma vie professionnelle. En tout cas, je suis content de t'avoir offert mes vaches grasses.

« Bonjour madame Sylvie Fournier, voici votre avoir du 28/03/11. » Ton avoir est de : – 0,89 euro.

Madame SFR ne veut pas voir la vérité en face, elle t'envoie toujours des lettres.

Pourtant, elle a été prévenue, elle est dans le déni, comme on dit. Elle ne supporte pas de t'avoir perdue, elle est inconsolable.

Pour Madame SFR, une cliente ce n'est pas un être humain, elle ne peut pas mourir. C'est un numéro de compte où on prélève. Madame SFR, qui n'est pas non plus un être humain, pensait prélever *ad vitam aeternam*. Et voilà que ça s'arrête.

Pauvre Madame SFR, comme elle doit être malheureuse.

Quand on rentre dans un listing, on devient éternel, on ne meurt plus. C'est un vaccin contre la mort.

Quand tu as arrêté de travailler pour la télévision, enfin quand la télévision, souvent amnésique, a arrêté de te faire travailler, je me suis souvent plaint qu'on était toujours ensemble et que ce n'était pas forcément bon. Il nous fallait un peu de solitude. Je suis exaucé au-delà de mes souhaits.

Je me rends compte que je peux être méchant comme le gosse à tête d'ange, qui arrache les ailes des mouches et s'étonne quand on lui dit que ce n'est pas bien. Sauf que moi, je n'ai pas une gueule d'ange et que ma mouche était une libellule et qu'elle s'est envolée.

J'étais parfois jaloux de toi, tout le monde t'aimait, ça m'agaçait. Pour me venger, je te disais que tu faisais tout pour ça. Je trouvais que tu étais trop gentille avec tout le monde. C'était très injuste, je savais bien que tu étais naturellement gentille.

J'ai été hier à une fête du livre avec Véronique. Je me suis rendu compte, en regardant tous les auteurs avec leurs livres sur leur étal, que nous étions comme des tripiers.

Au lieu d'exposer des cœurs de bœuf, nous exposons nos tripes. Souvent, seules les mouches semblent s'y intéresser.

Dans ton livre, comme d'habitude, tu ne parles pas de toi, mais des autres. Tu les as écoutés avec bienveillance et vigilance, comme tu faisais avec moi. Tu t'es fait, cette fois encore, de nouveaux amis.

J'attends les vacances avec beaucoup d'inquiétude, je me demande si je vais avoir le courage
d'aller sans toi dans notre belle maison de
Charente. Les commerçants vont me demander
de tes nouvelles, il va falloir que je recommence
à raconter ta mort. Je vais de nouveau avoir
droit à des regards tristes et des bons courages
qui découragent.

Il y a tous les beaux arbres que tu avais choisis
et qu'on avait fait planter l'année dernière. Est-
ce qu'ils ont tous repris ? C'est toi qui n'as pas
repris. Tu n'as pas repris connaissance. Tu ne les
verras pas grandir.

Il y a quelque chose qui me rassure en
Charente, c'est le ciel immense au-dessus de la
mer, avec les triangles d'oiseaux qui s'éloignent.

Je me souviens, à l'occasion d'un film sur la mort romantique, avoir utilisé des plans d'oiseaux migrateurs pour évoquer le départ des âmes. Ce n'était pas bien original, mais j'avais appelé Schumann à la rescousse, et avec son *Requiem*, ça passait bien.

Je vais, dans le triangle des oiseaux, en choisir un, et je ne le quitterai pas des yeux jusqu'à ce qu'il disparaisse.

Il y a le vieux cimetière où repose la grande famille de tous ceux qui savent où on va.

Et puis il y a la plage de Saint-Froult, la grande plage où tous les matins on allait courir. On s'arrêtait au bout, là où il y avait un panneau qui indiquait « Zone interdite ».

Cette fois, tu ne t'es pas arrêtée, tu as continué, tu es entrée dans la « Zone de calme pour oiseaux migrateurs ».

J'ai des moments de répit dans mon chagrin quand j'écris. J'ai l'impression de t'écrire et que tu lis par-dessus mon épaule.

J'espère que mon livre va te plaire. Je voudrais que ce soit un livre en couleurs. J'ai l'impression de raviver nos souvenirs.

Avec le temps, les couleurs avaient un peu pâli.

Ce matin, dans la boîte aux lettres, il y avait pour toi un nouveau catalogue de fleurs.

« Une plante avec des feuilles géantes jusqu'à un mètre, en forme d'oreille d'éléphant. Des fleurs blanches aux pétales finement ciselés qui ressemblent à une colombe en vol. Le dahlia fluo qui embrase le jardin tout l'été. »

Quand vont-ils arrêter de t'envoyer ces horreurs ?

Réussir à faire de la vulgarité avec des fleurs, c'est le bouquet.

Quand je pense à tes beaux jardins.

Quand on a vécu quarante ans avec toi, on devient très exigeant. Beaucoup de filles m'agacent, même si elles sont belles. Quand je traque les différences avec toi, c'est rarement en leur faveur. Toi aussi, tu m'agaçais. Tout m'agace, surtout moi.

Finalement, celles que je préfère, ce sont celles avec lesquelles je ne m'ennuie pas. Elles ne sont pas légion.

Hier, j'ai reçu à la maison. Deux amis fidèles, Georges et Yves. J'avais fait une belle table, je voulais que ce soit aussi bien que quand tu étais là.

J'ai mis une nappe brodée, et puis le beau service avec des fleurs que tu avais acheté aux Puces de Saint-Ouen, j'ai mis des verres anciens en cristal, je voulais que le décorateur Yves en ait plein les mirettes, il y avait, ce jour-là, un temps exceptionnel, le soleil faisait briller le cristal et l'argenterie, c'était très beau, je crois que tu aurais été fière. On a bu du champagne en ton honneur sous la tonnelle du jardin, puis le repas. Tartare de saumon avec des tomates confites, accompagné d'un cheverny blanc, magret de canard avec des cèpes, accompagné d'un vin rouge de Gaillac, puis salade de roquette avec du parmesan, et un tiramisu aux fruits. Tout était très bon, merci Monsieur Picard.

Ta place était vide, mais on a beaucoup parlé de toi…

Yves m'a dit que tu avais été là pendant le déjeuner. J'ai pensé à Mozart, le silence qui suit la fin de sa musique, c'est encore du Mozart.

Je suis en train d'écouter la *Messe du couronnement*. Dehors, c'est le printemps, notre jardin est plein de fleurs. Tout pour être heureux ?

*Tous les jours, et à tout point de vue, je vais mieux, de mieux en mieux.*
*Tous les jours, et à tout point de vue, je vais mieux, de mieux en mieux.*
*Tous les jours, et à tout point de vue, je vais mieux, de mieux en mieux.*
*Tous les jours, et à tout point de vue, je vais mieux, de mieux en mieux…*

Le journaliste du JT de France 2, celui que tu aimais bien parce qu'il est beau, avait hier une cravate noire et l'air un peu triste, peut-être qu'il t'aimait aussi ?

Je vais faire mon marché, je compare les prix, la qualité, j'ai trouvé un bon marchand de fruits et légumes, il a de la roquette, des citrons de Sicile et une bonne tête.

Fernand, le beau fromager, m'a fait crédit de 20 centimes, je suis sûr que c'est parce qu'il sait que je suis veuf.

Le petit boucher Henri qui m'appelait « Jeune homme » est mort. C'est sa femme qui fait boucher. Je pourrais me remarier avec elle, j'aurais toujours de la bonne viande, ce qu'on appelle le morceau du boucher.

Tu te souviens de nos douches, chacune à un étage différent ? Elles ne s'entendaient pas, on ne pouvait pas les utiliser en même temps, j'étais obligé de te demander si je pouvais prendre ma douche. Maintenant, je peux tout le temps, mais je n'ai plus envie de douche, je préfère mariner dans un bain.

Jean-Michel Ribes me propose de venir lire des extraits de mes livres au Théâtre du Rond-Point. J'ai eu tout de suite envie de t'appeler pour t'annoncer cette grande nouvelle, je l'ai dit à tout le monde tellement j'étais fier. J'aurais bien aimé que toi, tu le saches. Enfin, je sais que tu vois très bien de loin, tu vas pouvoir lire les affiches.

Hier soir, un taxi qui me ramenait à la maison n'avait pas de monnaie, j'ai dû prendre dans ton porte-monnaie 10 euros, ton dernier billet. Il est vide, maintenant. Je voudrais bien pouvoir te le rendre.

J'aimerais bien te couvrir d'or comme les reines d'Égypte. Je ne regarde plus les châteaux à vendre, je n'ai plus envie de château, j'ai perdu ma reine. Je suis un vieux roi qui s'emmerde. Mon or ne sert plus à rien.

Si j'étais généreux, je le donnerais aux pauvres.

Marie veut me faire visiter une maison en Bretagne, je n'ai pas trop envie, je voudrais aller quelques jours en Charente, pour voir comment je peux vivre dans notre maison sans toi.

Cette maison, c'est un peu toi. Les vieux meubles de ta famille me parlent de toi, les tableaux me parlent de toi, dans ta chambre il y a une belle gravure de Gustave Doré, puis des tableaux peints par ta mère quand elle était jeune, les beaux rideaux en tissu ancien que tu avais cousus.

Et puis, il y a le magnifique jardin, les lavatères, les roses trémières que tu as plantées, et tous les arbres que tu avais choisis et que M. Daniez a plantés l'année dernière. Et tous les oiseaux, les petites hirondelles qui battent des ailes sur les fils électriques, les tourterelles qui se posent sur la chapelle, les petits oiseaux auxquels tu t'entêtais à donner à manger, malgré les conseils des ornithologues, les huppes fasciées, les rouges-gorges qui voletaient autour de toi quand tu travaillais au jardin. Là-bas, tout parle de toi.

Pourquoi tu es partie ?

Question idiote. Tu n'as pas choisi.

Si on t'avait donné le choix, je suis sûr que tu serais bien restée.

Ton livre allait sortir, on allait faire des photos pour la presse, tu allais le présenter aux représentants, rencontrer des journalistes. Tu étais certainement inquiète mais excitée. C'était une grande première, ton premier livre. Je regardais tout cela avec un peu de condescendance, et pourquoi pas une certaine inquiétude. Si tu allais faire un succès, comment je réagirais, moi, l'écrivain officiel ?

Avant, quand je rentrais à la maison et que tu étais à l'étage, je disais, assez fort, « C'est moi ». Je ne le dis plus. À qui vais-je le dire ? Je ne vais quand même pas le dire à Salomé.

Si j'étais parti avant toi, comment aurais-tu réagi ?

Je pense que tu aurais été malheureuse. Finalement, on était un bon couple. Le temps avait fait quelques dégâts, la vie quotidienne avait un peu usé des choses, les agacements mutuels avaient grossi, on se détestait parfois, mais pas longtemps. On restait toujours complices. Entre nous, le courant passait.

Tu étais le pôle positif, j'étais le pôle négatif. Ça faisait de la lumière, et souvent des étincelles.

Triste loi des séries : hier, j'ai perdu mes lunettes.

J'ai retrouvé ta montre, celle que je t'avais offerte. Elle marche toujours, j'aurais préféré que ce soit elle qui s'arrête.

Salomé est charmante, c'est un petit tigre. Tu l'aurais adorée, elle est effrontée, rebelle, parfois très douce. Certaines nuits, elle vient dormir sur mon épaule et, avec délicatesse, elle me lèche les doigts.

Je n'aime pas trop son nom, Salomé. Ça fait un peu faux chic, j'aurais envie de l'appeler Roussette, comme une vache.

Si tu lis tout ce que j'ai écrit, tu vas avoir envie de revenir. Je pense ne t'avoir jamais dit autant de choses agréables, sans doute à cause de mon imbécile pudeur. Autant je suis habile pour dire des choses désagréables, autant les choses agréables restent bloquées dans ma gorge. Maintenant que tu n'es plus là, j'ai moins honte. Et puis j'ai l'impression que c'est plus facile d'écrire que de dire.

Le jour où l'eau courante ne court plus on regrette sa fraîcheur, quand la lampe s'éteint on regrette sa lumière, et le jour où sa femme meurt, on se rend compte à quel point on l'aimait. C'est triste de penser qu'il faut attendre le pire pour enfin comprendre. Pourquoi le bonheur, on le reconnaît seulement au bruit qu'il fait en partant ?

Est-ce que j'étais heureux avant ton départ ? On a tendance, après un grand malheur, à penser qu'avant, c'était toujours bien. Ce n'était pas toujours bien, c'était mieux.

Tu dois croiser du beau monde là-haut, mais discrète comme tu l'es, tu ne dois pas oser aller les saluer.

Je me souviens, un jour, m'être trouvé avec toi dans le même restaurant que Line Renaud dont tu venais de réaliser un portrait et avec qui tu t'étais très bien entendue. Je me suis étonné que tu n'ailles pas lui dire bonjour, tu m'as répondu que tu ne voulais pas l'ennuyer. Alors, si tu croises Mozart, Ravel, Watteau, Monet... Tu ne vas pas oser aller les féliciter ?

Je peux te rassurer, tu n'étais pas ennuyeuse, crois-tu que je serais resté quarante ans avec quelqu'un d'ennuyeux ?

Le veuf Jacques m'a appelé ce matin, il va bien, trop bien, il est gêné d'aller bien, un veuf frais ne doit pas aller bien, ou alors il n'aimait pas sa femme. Quelle connerie. On ne doit jamais avoir honte d'être heureux, mais plutôt être fier, c'est tellement difficile. Même quand on n'est pas veuf.

Il y a des gens qui ont des têtes à mourir, toi tu n'avais pas une tête à mourir, tu avais l'air gai, tu souriais toujours. Tu n'aurais pas dû mourir, c'est certainement une erreur. Tu aimais bien la vie, tu aimais bien les plaisirs de la vie.

Je suis triste de penser que tu ne mangeras plus d'huîtres, tu ne boiras plus de vin blanc. Tu ne verras plus pousser les roses sur les rosiers que tu avais taillés, tu ne te feras plus bronzer au soleil. Tu n'auras plus le plaisir d'avoir fait une bonne affaire aux Puces, tu n'auras plus la joie de faire des films pour la télévision. Tu n'auras plus le plaisir de t'endormir après avoir lu un bon livre. Et tu n'auras plus le plaisir de te réveiller.

Moi ces plaisirs-là, je commence à les avoir de nouveau, j'ai presque des remords.

Quand je dis que je vais bien, c'est un peu excessif. Je me retrouve souvent au cap Horn, au fond de mon petit bateau malmené par la mer. La tempête n'est pas finie.

*Tous les jours, et à tout point de vue, je vais mieux, de mieux en mieux.*
*Tous les jours, et à tout point de vue, je vais mieux, de mieux en mieux.*
*Tous les jours, et à tout point de vue, je vais mieux, de mieux en mieux.*
*Tous les jours, et à tout point de vue, je vais mieux, de mieux en mieux…*

Ton livre est imprimé, je vais en recevoir par la poste, je les attends avec impatience, je vais en envoyer à tous les gens qui t'aimaient bien, ça va coûter cher à l'éditeur.

Je vais les dédicacer à ta place, je ne sais pas ce que je vais écrire, je vais essayer de réfléchir à ce que tu aurais mis, toi. Il va falloir que je sois délicat. Il va me falloir apprendre à jouer de la harpe avec mes gros doigts de paysan.

En sortant de la maison, j'ai vu un couple qui admirait tes roses.

La fille m'a demandé quelle sorte de rose c'était, je n'ai pas pu répondre, je lui ai simplement dit que ma femme aurait pu la renseigner mais que, hélas, tu n'étais pas là, j'ai failli dire, plus là. Il faisait tellement beau, le jeune couple avait l'air heureux, notre maison les faisait rêver, les merles chantaient, il y avait de la joie dans l'air. Je n'ai pas voulu casser l'ambiance. Il est poli d'être gai.

Le printemps s'est déchaîné, il se prend pour l'été. J'ai compté cinquante roses sur le rosier devant la maison. J'ai vu deux mésanges qui voletaient dans le jardin. Quand elles m'ont vu, elles sont parties. Ce n'était pas moi qu'elles attendaient. Quand je pense qu'elles ne vivent pas plus de dix ans et que, malgré ça, elles sont pleines d'entrain et de gaieté, elles me bouleversent. Si j'étais une mésange, je serais d'une tristesse infinie. Heureusement que tu n'étais pas une mésange, j'ai pu te garder plus longtemps.

Je me souviens, presque toutes les nuits, quand je me réveillais, j'écoutais si tu respirais ou je tâtais pour savoir si tu n'étais pas froide.

Quand j'étais petit, nous avions un voisin, M. Seiller, il s'était réveillé un matin avec sa femme morte à côté de lui. Je n'ai jamais oublié cette histoire.

Quand tu dormais très tard ou que tu faisais la sieste, j'allais voir si tu n'étais pas morte. Souvent, je te réveillais, et je me faisais engueuler. J'inventais que je cherchais quelque chose dans la chambre. Tu n'étais pas dupe, un jour tu m'as dit : « S'il te plaît, laisse-moi dormir. Je ne suis pas morte. »

Tu ne peux plus dire ça, aujourd'hui, et moi je n'ai plus de raison de m'inquiéter et de faire semblant de chercher quelque chose dans ta chambre.

Il va me falloir trouver d'autres inquiétudes.

Sinon, je vais m'ennuyer.

Je viens de retrouver un petit mot que je t'avais laissé avant de partir à un rendez-vous.

J'avais écrit :

« 14 h 15. Je pars, mais je reviens !
J'espère que tu apprécieras ma délicatesse,
Je ne t'ai pas réveillée
Malgré l'envie que j'en avais.
Très bons baisers
Jean-Louis.
Mon téléphone est ouvert. »

Aujourd'hui, j'aimerais bien pouvoir te réveiller.

*Tous les jours, et à tout point de vue, je vais mieux, de mieux en mieux.*
*Tous les jours, et à tout point de vue, je vais mieux, de mieux en mieux.*
*Tous les jours, et à tout point de vue, je vais mieux, de mieux en mieux.*
*Tous les jours, et à tout point de vue, je vais mieux, de mieux en mieux…*

Tu viens de recevoir au courrier le journal du Secours populaire, il te propose une publicité : « Des jambes légères et toniques pour tout l'été. »

À toi qui es devenue entièrement légère. Tu es maintenant impondérable. Tu ne ferais même pas osciller l'aiguille d'un pèse-lettre.

Tu es en apesanteur, légère comme un nuage, une buée, un parfum, un souvenir…

La belle pendule Napoléon III refuse de se remettre en route. Je l'ai remontée, je l'ai calée, je ne comprends pas. Peut-être qu'elle n'ose plus sonner, parce qu'elle a une sonnerie joyeuse ? Ou alors, ça ne l'intéresse plus de compter le temps depuis que tu es partie, il passe trop lentement. Les journées sont longues depuis le 12 novembre. J'aurais dû récupérer tes cendres, faire un grand sablier pour les mettre dedans, je t'aurais regardée passer le temps.

J'essaie d'oublier les moments difficiles où l'on a pensé un moment te réanimer. On allait te voir avec des amis, tu n'étais déjà plus là, une machine nous donnait l'illusion que tu vivais encore. Quand j'étais assis à côté de ton lit, j'ai pensé à une phrase que j'avais écrite il y a quinze ans, dans ma *Grammaire impertinente* : « Bernard commençait à se désintéresser de sa femme entrée dans un coma dépassé depuis vingt ans. "Vingt ans" est un complément circonstanciel de temps. »

Notre dressing ne contient plus que mes vêtements. Les tiens, Marie a eu la bonne idée de les donner, à des amies, à Emmaüs. Il ne reste que les petits chapeaux-cloches qui t'allaient tellement bien. Ils étaient de l'époque de la traction, la belle époque. Je ne supporterais pas de les voir sur la tête de quelqu'un d'autre. Ils sont dans un tiroir, je les regarde, je pense qu'ils te connaissaient bien, placés où ils étaient, ils entendaient tout ce qu'il y avait dans ta tête, dans ton cerveau, les pensées que je ne connaissais pas. Je devais y avoir une bonne place, à côté de tes chagrins.

Quand je regarde tes petits chapeaux, je pense avec une infinie tristesse à ton cerveau, tombé en panne sèche, de sang.

Il est éteint définitivement.

Tu ne penseras plus jamais à moi...

J'ai regardé à l'intérieur des chapeaux s'il ne restait pas une petite pensée pour moi.

Le Secours populaire, Monsieur l'abbé Pierre, Monsieur Follereau, Monsieur Anticancer, les parfums Marionnaud... arrêtez d'envoyer des lettres à ma femme pour lui demander de l'argent ou l'inviter à profiter de vos promotions. Elle est morte. C'était écrit dans le journal.

Je disais que le printemps était devenu fou, qu'il se prenait pour l'été, ça se confirme. On est début mai et les roses commencent déjà à faner. On a l'impression que la nature n'en a plus pour longtemps, qu'elle se dépêche, elle montre tout ce qu'elle sait faire, elle veut nous en foutre plein les yeux, c'est l'apothéose, ou un baroud d'honneur pour toi. Elle jette ses derniers feux, on pense au chant du cygne, le dernier chef-d'œuvre d'un artiste avant sa mort.

J'ai reçu ce matin par Chronopost un paquet assez lourd. Ce n'étaient pas des livres, c'étaient des cerises. Michel nous a envoyé, comme chaque année, les premières cerises de notre cerisier des Charentes. Cette année, les oiseaux, délicats, en ont laissé plus que d'habitude. Elles sont superbes, rouge brillant. Elles mettent un peu de gaieté et de couleur dans le frigidaire tout blanc. Heureusement, ce ne sont pas des cerises noires.

Le jardin de Paris déborde de roses. Chaque matin, j'en mets une sur la table de la cuisine et je prends mon petit déjeuner avec elle. Avant, devant moi, il y avait toi ; je te parlais des émissions de radio que j'avais écoutées la nuit, tu me racontais tes rêves. Je regarde la rose, la vie me paraît moins difficile.

Qu'est-ce que je vais devenir quand elle sera fanée ?

Je ne vais plus à Auchan. On y allait toujours ensemble. C'est trop loin. J'ai la nostalgie d'Auchan, j'aimais bien y aller avec toi, je découvrais des bons vins en promotion, le poisson était très frais et avait l'œil vif.

J'ai l'impression que je regrette tout ce qu'on faisait ensemble, pourtant on ne faisait pas que des choses passionnantes. Certainement qu'à l'époque, je me plaignais déjà.

Je dois être entré dans la phase de cristallisation des souvenirs, dont parle Stendhal. Mes souvenirs continuent à briller comme les étoiles mortes. Le passé me semble parfait, le futur pas très sûr. Je préfère conjuguer l'irréel du présent.

Je viens de croiser le Dr Sorba. Je lui ai dit que j'avais presque fini mon livre sur nous et j'ai ajouté « J'espère que Sylvie sera fière de moi ». Il m'a dit que tu étais très fière de moi.

J'ai toujours eu besoin qu'on soit fier de moi, pour pouvoir l'être moi-même.

Quand j'étais petit et que je pensais avoir fait quelque chose de bien, j'avais pêché un petit poisson, attrapé un orvet ou un papillon, fait un dessin, écrit une poésie…, il fallait que j'aille de toute urgence le montrer à ma mère, pour être félicité. J'ai fait souvent la même chose avec toi. Quand j'avais peint un volet, tondu la pelouse, je t'appelais pour te le montrer. Je l'ai fait aussi souvent pour des textes que j'écrivais. Tu avais intérêt à les trouver bien. Cela dit, j'avais confiance en ton jugement et tes critiques, et je modifiais souvent, en douce et à contrecœur.

Est-ce que je te méritais ?

Tu as été ma plus belle qualité, j'espère ne pas avoir été ton plus gros défaut.

Il va falloir que je coupe toutes les roses fanées, tu m'as appris qu'elles fatiguaient les rosiers qui préparaient de nouvelles fleurs. Je vais devoir monter sur un escabeau, elles sont très hautes. J'ai peur de me casser la gueule. J'ai intérêt à rester valide, tu ne seras pas là pour pousser mon fauteuil roulant.

J'ai retrouvé hier des photos de nous en traction. Tu avais ton petit chapeau blanc et moi mes cheveux gris.

Quand je trie nos souvenirs, je crois que les voyages en traction resteront les meilleurs. Ça ressemblait au bonheur. On en a traversé des paysages avec notre voiture décapotée, le Pas-de-Calais, l'Oise, le Gard, la Charente... Le pare-brise baissé, elle devenait presque un avion, un tapis volant. Il y avait l'odeur de la campagne, le vent. Je me souviens d'un petit chemin qui était couvert de fleurs, le pare-choc avant coupait les fleurs, comme une tondeuse, et les fleurs qui étaient projetées en l'air retombaient dans la voiture, nous étions couverts de fleurs, comme des jeunes mariés.

Elle tombait souvent en panne, mais nous gardions notre sang-froid, tu riais, et moi j'ouvrais le capot. Elle a pris feu plusieurs fois. Je me souviens des vaches qui te regardaient, pas jalouses, les cigognes qui nous suivaient et les oiseaux avec qui je faisais la course.

À la fin des vacances, j'allais la mettre dans une grange, je la couvrais d'un grand drap blanc, pour la protéger de chiures de pigeon, et je la quittais, j'étais un peu triste, elle aussi. Je me rappelle t'avoir montré, en dessous des phares, deux petites flaques d'eau, et t'avoir dit que c'étaient des larmes.

Je comprends maintenant pourquoi tu as pleuré quand je l'ai vendue. Ce n'était pas la voiture que tu pleurais, c'était bien plus triste. C'était notre jeunesse.

Maintenant, elle a été repeinte en noir.

Comme mon avenir.

*Tous les jours, et à tout point de vue, je vais mieux, de mieux en mieux.*
*Tous les jours, et à tout point de vue, je vais mieux, de mieux en mieux.*
*Tous les jours, et à tout point de vue, je vais mieux, de mieux en mieux.*
*Tous les jours, et à tout point de vue, je vais mieux, de mieux en mieux...*

La marchande de journaux m'a redit que tu étais charmante, que tu avais beaucoup de classe. Elle a employé l'imparfait, « ce temps cruel qui nous présente la vie comme quelque chose d'éphémère », a écrit Proust.

Je déteste l'imparfait de l'indicatif. Parfois, même, il m'arrive de ne plus aimer le présent.

Je viens de rentrer d'un petit voyage. Je suis content de revenir, comme si tu m'attendais. Sans toi la maison est triste, Salomé se fout éperdument de moi, ou elle cache bien ses sentiments. Dès que j'ai ouvert la porte, elle en profite pour filer dans le jardin, sans un mot de bienvenue, même pas un regard.

Mais j'ai eu une surprise. J'ai ouvert les volets et les fenêtres pour faire entrer la lumière et le printemps. En ouvrant une fenêtre que je n'ouvre jamais habituellement, une rose m'a jailli au visage. Elle s'est ouverte pendant mon absence. Pour se mettre devant la fenêtre, elle a dû s'éloigner de deux mètres du pied de son rosier et, suprême délicatesse, elle s'est mise en mauve clair, couleur demi-deuil.

Peut-être que tu n'es qu'à demi partie ?

Tu as reçu encore une demande de don, elle vient d'Orphéopolis. Sur l'enveloppe, il est écrit en rouge : « Merci d'ouvrir votre cœur à un orphelin de la police. »

La police ne sait pas que ton cœur est définitivement fermé. Il ne battra plus pour personne.

Notre maison de Charente est toujours aussi belle. Les roses trémières que tu as plantées devant la grille sont en fleur, ton jardin est magnifique. Les lavatères se sont déchaînées, elles recouvrent le massif de l'entrée. Tous les nouveaux arbres ont bien repris, les pommiers et les poiriers croulent sous les fruits, il y a même des coings, Michel va pouvoir faire des conserves. La pelouse est vert tendre, quelquefois des taches blanches ou grises passent, ce sont les chats qui surveillent les tourterelles toujours sur le clocher de la chapelle. Ça pourrait ressembler au paradis.

J'avais peur de revenir seul. Heureusement, mes frères m'ont accompagné, ils avaient même pris une trousse à outils. Sans doute pour me réparer.

Ils ont arraché toutes les herbes qui avaient poussé dans le gravier, ils ont graissé les serrures, fixé les tringles de rideau, branlantes, recollé... Tout ce qu'il fallait faire depuis longtemps et que je t'avais promis de faire un jour. On n'a pas retrouvé ton sécateur, comme si tu ne voulais pas qu'on coupe les fleurs. J'ai dû aller en acheter un. Nous sommes allés à Monsieur Bricolage, on y allait toujours ensemble.

J'ai un nombre considérable de souvenirs de toi qui tourbillonnent autour de ma tête, comme une nuée de moucherons avant l'orage. Ils me rentrent dans les yeux, dans les oreilles, dans le nez, j'essaie de m'en débarrasser mais ils me collent. Je suis comme le personnage comique qui tente de retirer un morceau de scotch de son doigt et le colle à son autre doigt, cela indéfiniment, le sketch dure longtemps. Tu es bien plus collante morte que vivante.

Je ne sais pas si j'ai envie de vendre la maison. C'est un peu ton œuvre. Est-ce que je vais avoir le courage de la continuer ?

Notre séjour n'a pas été triste, c'est tellement beau ici. Les choses qui sont belles ne sont jamais entièrement tristes. Tu m'as laissé « dans la beauté des choses », comme dit le poète. Je devrais pouvoir survivre.

*Ce volume a été composé*
*par IGS-CP à L'Isle-d'Espagnac (Charente)*
*et achevé d'imprimer en novembre 2011*
*sur Roto-Page*
*par l'Imprimerie Floch*
*à Mayenne*
*pour le compte des Éditions Stock*
*31, rue de Fleurus, 75006 Paris*

*Imprimé en France*

Dépôt légal : novembre 2011
N° d'édition : 09 – N° d'impression : 81019
54-51-9061/0